LOS CAZA COSAS

ESTRADA

Dirección Editorial: Beatriz Ferro

Diseño Gráfico: Elena Torres

Angel Estrada y Cía. S.A., 1994.
Obra registrada en la Dirección Nacional del Derecho de Autor.
Hecho el depósito que marca la ley 11.723.
Printed in Brazil.
ISBN 950-01-0508-X

Beatriz Ferro

Cuatro
cuentos
cándidos

Ilustraciones Elena Torres

ANGEL ESTRADA y CIA. S.A.
Bolívar 462 - Buenos Aires
Argentina

La Suerte de Cándida

El día que la ratona Zafira
abrió su consultorio de adivina,
su primera clienta
fue la ardilla Cándida.

En realidad lo que ella quería
era preguntar la hora porque el cielo
estaba nublado y no funcionaba
su reloj de sol. Sin embargo, ni
tiempo tuvo de abrir la boca porque

apenas asomó la nariz, la ratona se
acomodó el turbante, frotó la bola de
cristal con la manga, la miró fijo y
anunció:

—Ardillita Cándida...veo tu destino,
¡veo tu futuro!

Allí se detuvo porque, la verdad,
todo lo que veía era su propio hocico
reflejado en la bola. Pero su fama de
adivina estaba en juego y algo tenía
que decir.

–Veo, veo... un viaje, ¡harás un largo
viaje, ardilla Cándida!

A la pobre se le llenaron los ojos de
lágrimas.

–¿Yo, viajar? ¿Para qué? ¡Si estoy
tan bien aquí, donde tengo tantos
amigos! Voy a extrañar mi casa, mi
cama, mi hamaquita...

Zafira se encogió de hombros y,
aunque no tenía un solo cliente más,
gritó "¡Que pase el que sigue!" para
terminar con el asunto.

La ardilla, más muerta que viva,
fue a contarle al viejo búho
su triste suerte.
–No te aflijas –la consoló el amigo–.
Personalmente, no creo que
la ratona sea una buena adivina.
Te recomiendo que vayas a ver a
Bruna, la gitana, ¡esa sí que sabe ver
el futuro!

Cándida le agradeció el consejo y
corrió a su casa.

Al rato, carterita en mano y de
sombrero, partió hacia el pueblo
vecino donde vivía Bruna.

Caminó y caminó hasta que por fin encontró el carromato de la gitana; entonces subió de un salto, se plantó frente a Bruna y, sin más, soltó su pregunta:

–Dígame, señora, ¿es cierto que voy a hacer un viaje?

Bruna pensó que Cándida ansiaba viajar y, como siempre decía lo que la gente quería oír, sacó las barajas, puso dos o tres boca arriba y afirmó:

–Seguro niña, ¡tú sí que vas a ver mundo!

Cándida frunció el hocico por no llorar y se fue peor que antes.

Por el camino se encontró con el
coatí y, como tenía que desahogarse
con alguien, le contó su pena.

–Bah, no le hagas caso a esa gitana
–dijo el otro–. Yo, en tu lugar, iría a
ver a Chin-Chu-Lín que es un mago
de verdad con diploma y todo. Y,
para mejor, ¡chino!

En seguida le explicó dónde
encontrarlo: el mago trabajaba en el

circo Pitos y Flautas que acampaba
en Monte Pelado.

Hacia allá fue Cándida, muy
ilusionada.

Pero en Monte Pelado no había ni
rastros del circo.

Preguntando aquí y allá, se enteró de
que Pitos y Flautas había cambiado
de rumbo y que, a esas horas, ya
debería estar en Campito Seco.

La ardilla siguió su marcha.
Cuando finalmente llegó a Campito
Seco, le informaron que, al no
encontrar agua para bañar a los
elefantes, el circo había seguido
viaje en dirección a Laguna Verde.
Allá fue y, aunque ya no daba más de
tanto andar, cuando vio la gran carpa
a lo lejos, le volvieron las fuerzas y,
de una corrida, llegó
a la entrada.

Minutos después, encontró la casa rodante de Chin-Chu-Lín.

El mago, que estaba ensayando para la función, interrumpió su trabajo, la miró con interés y exclamó:

–Ajajá... ¡Veo un largo viaje!

Era lo último que ella quería oír.

–¡Pobre de mí! –se desesperó–. Todos los adivinos me dicen lo mismo, ¡y yo que quiero quedarme en mi casita, donde soy tan feliz!

–No me has entendido –susurró entonces Chin-Chu-Lín.

Y le explicó:

–Quise decir que YA has hecho un
largo viaje. Y no es preciso ser mago
para darse cuenta: basta con mirar
tus zapatos embarrados, tu ropa
ajada y esa carita de cansancio.

–¿Eso significa que no voy a viajar?

–No, si no lo deseas –respondió el mago acariciándole la cabecita.

Después desparramó unos granos de arroz sobre un plato, los miró atentamente y dijo guiñando un ojo:

–Veo veo... a todos tus amigos que te están esperando. Y creo creo... que ya es hora de que vuelvas a casa.

En seguida fue a buscar su bicicleta china, se sentó, acomodó a la ardilla

sobre el manubrio y enfiló hacia el
bosque.

Dejaron atrás Laguna Verde,
Campito Seco, Monte Pelado...

...y todo lo demás y, lo que se dice en un suspiro, depositó a Cándida en la puerta de su casa.

Allá quedó la ardilla, tirándole besos, feliz de haber encontrado por fin un mago como la gente.

Misterio

Aquella mañana, cuando Cándida se
cruzó en la calle con sus amigos y
vecinos, apenas los saludó.

–¿Qué tendrá? –se preguntó el zorro.

–Está... misteriosa, ¡ésa es la
palabra! –precisó la comadreja.

–¿Misteriosa, quién? ¿Misteriosa,
quién? –quiso saber el conejo, que
apareció en ese momento.

Curioso como él sólo, se fue tras la
ardilla. En dos zancadas la alcanzó y
le preguntó en qué andaba.

–Es un secreto –respondió Cándida–,
y los secretos no se cuentan, se
guardan.

–Por supuesto... –dijo el conejo, y
enseguida, muerto de ganas de
enterarse, inventó un disparate:

–¿Ves esta oreja? Bueno, en realidad
es un cucurucho para guardar
secretos. ¡Prestáme el tuyo aunque
sea un ratito!

Tanto dijo que la ardilla aceptó.

El otro se arrimó y, como entornó los
ojos para escuchar mejor, no advirtió
que Cándida sacaba del bolsillo un
cucurucho de verdad, de papel, y lo
abría junto a su oreja.

El chillido del conejo fue terrible:

–¡Aíiiii....! ¡Traición, eso no es un
secreto, es una avispa!

Y corrió a su casa, a sacarse el
aguijón.

Cándida quedó bastante confundida.
Ella no lo había engañado: estaba
juntando bichos para hacer un
zoológico de insectos y hasta el día
de la inauguración quería mantenerlo
en secreto, así les daría a todos la
gran sorpresa.

Al día siguiente volvieron a
encontrarse por casualidad. Ella iba
con un bolso y caminaba rapidito
rapidito.

–¿Y eso? –indagó el vecino–. Seguro
que es otra avispa, ¡no se te ocurra
acercarte!

–No es ninguna avispa –le aseguró la
ardilla–. Me di cuenta de que los
insectos pueden ser peligrosos; esto
es algo muy diferente. Pero es
un secreto.

A pesar de la oreja hinchada, la
curiosidad del conejo pudo más:
–¿Me dejás verlo de lejos?
–Qué esperanza. No no no.
–¿Y si cierro los ojos y lo toco?
–Menos que menos.

Parecía tan desesperado que Cándida le tuvo lástima y pensó "Bah, le doy el gusto". Entonces abrió un poquito la bolsa y le previno:

–¡Se mira y no se toca!

–A mí nadie me da órdenes –dijo el otro y, rápido como el rayo, metió la mano y tocó lo que había adentro.

Un segundo después gritaba:

–¡Ay, socorro! ¡Mi mano...!

Y se iba corriendo hasta el arroyo a refrescarse los dedos para calmar el ardor.

Tampoco esa vez la ardilla lo había engañado. Sucedía que, en vez de un zoológico, ahora pensaba hacer un jardín botánico. Y la primera plantita que había recogido era una ortiga.

La pobre movió la cabeza de un lado a otro; cada vez que preparaba una

sorpresa para sus amigos, las cosas
salían mal y terminaba dejando al
conejo a la miseria. Entonces pensó
que era hora de hacer algo por él.

Al otro día llamó a la puerta del
vecino y anunció con voz cantarina:
–¡Sorpresa, sorpresa!

Cuando el conejo miró por la
ventana y vio que llevaba un gran
paquete, abrió la puerta apenas y
preguntó por la rendija:
–¿Qué traés allí? ¿Un pichón de
dinosaurio o una planta carnívora?

–Lo que hay aquí te hará olvidar
todos los malos ratos –aseguró la
ardilla–. No tengas miedo, es nada
más que una bomba...

–¡Una bomba! –se aterró el otro–.
¡Fuera de aquí antes de que explote!
Si no te vas te corro con la
escopeta...

Sus propios gritos no le dejaron oír
las explicaciones de Cándida que
terminó yéndose con la música a otra
parte.

Una vez en su casa, abrió el paquete y puso en el centro de la mesa la super bomba de crema y chocolate que ella misma había preparado para el conejo con todo amor.

Después llamó a sus amigos y los invitó a darse un banquete muy dulce.

Una hora más tarde, cuando el conejo oyó de lejos las risas, los aplausos y los ñam ñam, qué rico, entró en sospechas.

Tímidamente se acercó a lo de Cándida a ver qué pasaba.

Demasiado tarde.

Volvió a chillar, pero esta vez de pena. Porque sólo quedaban un montón de platos vacíos y muchas panzas llenas.

Pirimpimpón

Descontando el día en que había
perdido el apetito, Cándida decía que
ella nunca perdía nada.

Y así fue.... hasta que descubrió que
su querida nuez dorada había
desaparecido por un agujero que
tenía en el bolsillo.

La nuez dorada era una cajita forrada
por dentro con una tela roja muy
suave y, aunque parecía estar vacía,
en realidad estaba llena de los sueños
de Cándida. Para ella, más que una
caja, era un cofrecito de tesoros y
estaba segura de que, un día, iba a
servir para guardar algo muy
especial.

Cándida se cansó de buscarla: revisó
la casa de arriba abajo y el jardín de
punta a punta.
Nada de nada, la nuez no apareció.

Sin saber qué hacer, se sentó en la
puerta de calle con cara de "qué
tonta soy, no hay caso, la perdí", tan
ensimismada que, cuando pasó su
vecino, el zorro, no lo reconoció.
Bueno, la verdad, el zorro parecía
otro; tenía pipa y gorra de detective,
una gran lupa en la mano y un
diploma bajo el brazo.

–¿Algún problema? –preguntó como
en las películas–. Por si no te diste
cuenta, acabo de recibirme de
detective: ¡aquí está mi diploma!

Cándida parpadeó, se paró de un
brinco y le contó todo.

–¿Con que... agujero en el bolsillo,
eh? ¿Roto, descosido o apolillado?

–Zorro, ¿y eso qué importancia
tiene?

–Todos los detalles tienen importancia –aseguró el detective y, para evitar más preguntas, la hizo a un lado y entró en la casa muy resuelto, a mirar con lupa hasta el último rincón.

La ardilla, impaciente, a los dos minutos se asomó a preguntar si había novedades.

–Todavía no, pero tengo una pista –aseguró el zorro–. Por favor, no me molestes más, ¿por qué no te vas a dar una vuelta por ahí?

Cándida, resignada, se fue a dar un paseo por el bosque para no entorpecer el trabajo del zorro.

Allí estaba cuando, en medio del
silencio, oyó algo: un rumor que
más bien era un susurro que
se fue haciendo cantito.
Entonces paró la oreja y escuchó:

Todos buscan, todos buscan
lo que desapareció.
El sastre busca un botón,
el relojero un tornillo
del reloj despertador.
La mamá busca el tapón
que tapaba el botellón,
de paso busca una vincha
y el pañuelo de algodón.

¿Dónde está la dirección
que anoté en ese cartón?
¿Y el fósforo que cayó?
El suelo se lo tragó.

Lapicitos y alfileres,
la madeja de piolín
y el escarpín con pompón,
¿dónde están? Jo jo jo,
lo sé yo, yo, yo,
¡el duende Pirimpimpón!

Cándida se apartó despacio,
conteniendo el aliento, y un trecho
más allá corrió a todo lo que daba
hasta su casa para hablar del asunto
con el zorro.

Sin embargo él no se dejó
impresionar.

–¿Pirimpimpón dijiste? ¿Oí bien,
Pi-rim-pim-pón? –Después levantó
una ceja, miró a lo lejos y opinó:

–Debe ser un vecino bromista. Voy a
ver si figura en la guía de teléfonos.
¡Qué tipo!

La ardilla, furibunda, le volvió la
espalda y se fue a aclarar el misterio
por su cuenta.

Regresó al mismo lugar del bosque,
miró y requetemiró haciendo
telescopio con las manos, norte, sur,
este y oeste, y no notó nada raro.

Antes de darse por vencida, vuelta a
mirar y entonces sí, descubrió algo
que andaba a los saltos como una
langosta: era el duende cantor en
persona, chiquitito, ágil y veloz.

Cándida, inmóvil para no espantarlo,
lo vio detenerse y alzar del suelo una
cuentita brillante. Después siguió,
salto tras salto, hasta escabullirse
entre las ramas y las hojas que
tapizaban el suelo del bosque. Allí
desapareció.

La ardilla se acercó a ese sitio y
espió de panza entre las matas hasta
que, bajo de un techito de
enredaderas, vio el pueblo enano
más raro de la historia.
Las casas estaban construidas con
cabitos de lápices de colores y las
ventanas eran botones de vidrio.

Había caminos de monedas y
puentes hechos con viejas llaves.

En una casa, una señora duende
lavaba la ropa dentro de una tapita
de botella, y su vecino dormía la
siesta sobre una blanda goma de
borrar.

Más allá, un duende sastre en su
taller cortaba vinchas y, cose que
cose, hacía trajes y gorros
enanísimos.

Más claro imposible: Pirimpimpón y
los suyos eran unos duendes
cachivacheros que se pasaban la vida
recogiendo las cosas que pierde la
gente...

Cándida, segura de que también
habían secuestrado su cajita de nuez,
estaba por pedir a los gritos que se la
devolvieran cuando, de repente, vio
al duendecito rey.

Estaba en la galería de su palacio,
sentado muy orondo en el trono que
acababa de estrenar: un espléndido
trono dorado, tapizado de rojo... ¡era
la nuez de Cándida! La ardilla no
supo si reír o llorar.

Lo miró un rato largo con la boca
abierta, mientras él se hamacaba para
aquí y para allá, sonriendo de gusto.

Entonces pensó que, al fin y al cabo,
ella siempre había dicho que esa
cajita iba a servir para algo muy
especial. Y, ¿qué mejor? se había
convertido nada menos que en el
asiento y el respaldo de un rey.
Cándida le tiró un beso y se despidió
del pueblito.

Les dijo chau en silencio a las casas
de lápices y a los carritos con ruedas
de tornillo.

Lo último que miró fue la placita
donde unos niños duendes se
divertían patinando sobre el cristal
de una lupa.

Después volvió a su casa.

El zorro todavía estaba allí,
revisando abajo de la cama.

–No busques más –le dijo la ardilla–.
Ya no me interesa mi nuez dorada,
¡que se quede donde está!

–¿Y quién busca tu nuez? Lo que
quiero encontrar ahora es el cristal
de mi lupa, ¡no sé dónde se me cayó!

La ardilla Cándida se hizo la
desentendida y se rió para adentro
pensando que, muy pronto, iban a
estrenar otra pista de patinaje en el
pueblo del duende Pirimpimpón.

Alfombras para volar

Al ratón Ricachón no le faltaba nada,
más bien le sobraban muchas cosas
como alfombras, sillones y lámparas,
a tal punto que ya no sabía dónde
ponerlas.

Un día decidió hacer con todo eso una feria americana; avisó a los vecinos y allá fueron todos, a curiosear.

El ratón Ricachón mostró con orgullo sus alfombras:

–Vienen de Persia –aseguró–, el antiguo país de las alfombras mágicas.

No causó mayor impresión hasta que entró Cándida y escuchó las últimas palabras.

–Alfombras... ¿mágicas?

El ratón aprovechó para darse
importancia y mintió como loco:
–Así es. Todas éstas que ves aquí
suben como helicópteros y planean
como planeadores.

Cándida quedó fascinada.
Ricachón le mostró una por una: la
verde con dibujos de palmeras
llegaba hasta el Caribe; la que tenía
estrellas blancas y franjas rojas iba
hasta Norteamérica; otra, llena de
arabescos, no paraba hasta Arabia.

Y todas costaban fortunas.

–¡Sale más caro que viajar en avión!
–suspiró Cándida.

–Pero es mucho más emocionante–,
afirmó el ratón. Y, para no perder
una venta, agregó:– Por aquí tengo
una más económica...

Le mostró entonces una alfombrita
medio descolorida; costaba una
miseria aunque, claro, llegaba sólo
hasta la laguna de la Garza
Pescadora.

La ardilla, sin dudar un segundo, le
entregó todos sus ahorros y se fue
encantada con su compra. ¡No veía
el momento de volar!

Cuando llegó a un claro del bosque
desenrolló la alfombra, se sentó
encima y dijo ¡Arriba!... Pero no
pasó nada.

Cándida probó entonces la cuenta
regresiva, como con los cohetes:
tres, dos, uno... ¡cero! Menos que
menos. Siguió pegada al suelo.
Y tampoco sirvió tratar de animarla
dándole palmaditas.

A pesar de todo, convencida de que aquella alfombra era mágica, al ver a un zorrinito y a dos conejos que andaban por ahí, los invitó a sentarse con ella para dar un paseo por el aire. Allí estaban los cuatro, inmóviles, cuando se descolgaron del cielo la garza pescadora y sus hermanas.

Intrigadas, preguntaron qué ocurría y
la ardilla les explicó que estaban a
punto de volar en alfombra.

–¡Qué bueno! –dijo la garza. Y,
guiñando un ojo a sus hermanas,
propuso:– ¿Podemos acompañarte?

Cándida dijo que sí, cómo no.
Entonces las garzas se acomodaron
en los extremos de la alfombra, con
disimulo enredaron los dedos en los
flecos, aletearon, remontaron vuelo
y... ¡todo el mundo arriba!

–¡Volamos, volamos! –gritaron los
pasajeros–. Adiós suelo del bosque y
techos de los árboles... ¡Hola sol,
hola nubes, hola cielo!
No sólo fueron hasta la laguna.
La alfombra, llevada por las garzas
amigas, voló sobre campos, ríos y
colinas, mejor que una super ala
delta.

El maravilloso viaje terminó sobre el
mullido suelo del bosque de donde
habían despegado, con los pasajeros
dándose abrazos de alegría.

La garza guiñó el otro ojo a sus
hermanas y le dijo a Cándida:
—¡Ojalá nos invites cada vez que
quieras usar tu alfombra mágica!

La noticia del viaje entre las nubes
corrió rápidamente y llegó a los
oídos del propio Ricachón.
"Entonces, ¿era mágica en serio?"
se desesperó. "¿Volaba y se la vendí
a Cándida por una miseria? ¡Yo me
muero!"

Para colmo, al rato recibió la visita
de la ardilla que fue a contarle
cuánto había disfrutado con la
alfombra.

Ricachón la despidió murmurando
palabras incomprensibles...

Minutos después apareció la liebre;
miró todo lo que estaba en venta y
preguntó señalando las lámparas:

–Por casualidad, ¿alguna de éstas es
la lámpara de Aladino?

El ratón dio un respingo: ¡a ver si,
encima, tenía la famosa lámpara y la
vendía por dos pesos con genio y
todo!

–La verdad, es hora de cerrar
–refunfuñó mientras ponía el
candado–. Además, le aclaro que la
feria americana se suspende hasta el
año 2100.

Cuando se quedó solo juntó todas las lámparas que tenía; buscó un trapo, se arremangó y empezó a frotarlas con alma y vida, esperando que en una de esas se presentara el genio. Se cansó de sacar brillo.

Lustra que lustra hasta la madrugada, al final se convenció de que allí no había ni la más mínima lámpara maravillosa.

Nunca supo que lo maravilloso de verdad son los amigos, o las garzas, que nos prestan sus alas cada vez que queremos levantar vuelo.

Índice

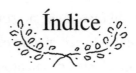

Imaginar historias, dibujar, inventar, son cosas que
Beatriz Ferro empezó a hacer cuando chica. Desde entonces
no paró: es autora de cientos de cuentos, poesías, guiones,
obras de teatro y agendas para los más jóvenes.
También escribió enciclopedias, inventó colecciones, ilustró
cuentos y trabajó en periodismo.
Viaja casi tanto como sus libros que traducidos al inglés,
holandés, italiano y catalán, andan ahora por las ciudades de
los Estados Unidos y Europa.
Además visita a menudo los bosques de los cuentos,
poblados de animales y seres mágicos en cuya compañía se
siente muy a gusto.

Primera edición.
Esta obra se terminó de imprimir en mayo de 1994,
en los talleres gráficos de Companhia Melhoramentos de
São Paulo, Indústrias de Papel
Rua Tito, 479 — São Paulo — Brasil